La fête de Sami

Texte
Isabelle Albertin

Illustrations
Thérèse Bonté

hachette
ÉDUCATION

Avec Sami et Julie, lire est un plaisir !

Avant de lire l'histoire

- Parlez ensemble du titre et de l'illustration en couverture, afin de préparer la compréhension globale de l'histoire.
- Vous pouvez, dans un premier temps, lire l'histoire en entier à votre enfant, pour qu'ensuite il la lise seul.
- Si besoin, proposez les activités de préparation à la lecture aux pages 4 et 5. Elles permettront de déchiffrer les mots les plus difficiles.

Après avoir lu l'histoire

- Parlez ensemble de l'histoire en posant les questions de la page 30 : « As-tu bien compris l'histoire ? »
- Vous pouvez aussi parler ensemble de ses réactions, de son avis, en vous appuyant sur les questions de la page 31 : « Et toi, qu'en penses-tu ? »

Bonne lecture !

Conception de la couverture : Mélissa Chalot
Réalisation de la couverture : Sylvie Fécamp
Maquette intérieure : Mélissa Chalot
Mise en pages : Typo-Virgule
Édition : Laurence Lesbre

ISBN : 978-2-01-708297-2

Achevé d'imprimer en Mars 2020 en Espagne par Unigraf
Dépôt légal : Octobre 2019 - Édition 03 - 65/1768/0

Les personnages de l'histoire

1 Montre le dessin quand tu entends le son (a) dans le mot.

2 Montre le dessin quand tu entends le son (i) dans le mot.

3 Lis ces syllabes.

pré

pro

ni

4 Lis ces mots-outils.

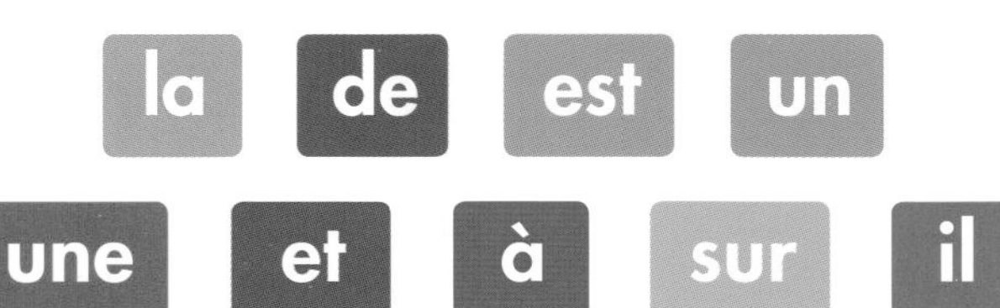

la de est un

une et à sur il

5 Lis les mots de l'histoire.

Sami Tom Zoé

limonade tarte moto

Papa prépare la fête de Sami.

Zoé a promis de venir...

Vite, vite les amis
(z)
de Sami arrivent.

Zoé est une fée,

Tom un pirate,

et Léo un léopard.

La mère de Sami apporte de la tarte à l'ananas et de la limonade.

Ma tarte préférée !

Hélas ! Tobi a bavé sur la tarte.

Papa est navré !

Tobi !
STOP !

Oh !

La part de tarte de Léo

sur la robe de Zoé !

Oh la la !

Zoé offre une moto

à Sami.

Une moto !
J'adore !
Bonne idée !

Une pluie de caramels

s'abat sur la tribu.

Sami attrape une épée.

Et Zoé, un diadème.

Bravo !

Sami s'étonne alors :

Tom n'est pas là...

Il a disparu !

BIM !

BAM !

La porte est fermée !

Papa le libère !

BIM !
WC
BAM !
Zoé !
Sami !
Léo !

Ta fête est trop réussie !
Bravo !

Super anniv' !
Formidable !

As-tu bien compris l'histoire ?

1 En quoi Léo est-il déguisé ?

2 Qu'est-ce que Zoé offre à Sami ?

3 Qu'est-ce qui tombe de la piñata ?

4 Qui reste coincé dans les toilettes ?

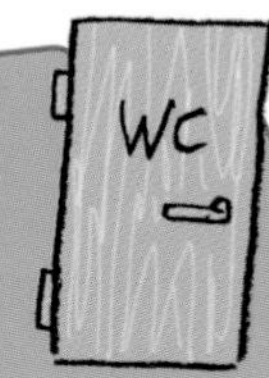

Aimes-tu
les fêtes
d'anniversaire ?

Fêtes-tu
ton anniversaire
en classe ?

Quel est
ton gâteau
préféré ?

As-tu déjà tapé
dans
une piñata ?

En quoi
aimes-tu
te déguiser ?

As-tu lu tous les Sami et Julie ?

Milieu de CP

Fin de CP

hache
ÉDUCATION